QUESTIONS D'AMOUR

8-11 ans

Virginie Dumont
est psychologue et psychothérapeute,
spécialiste de l'enfant et de l'adolescent.

Serge Montagnat,
auteur de livres scientifiques pour la jeunesse,
est professeur de biologie.

Illustrations de
Denise et Claude Millet

Merci à Françoise Degeilh, médecin,
pour sa relecture attentive de Questions d'Amour.

NATHAN

Sommaire

*Direction
de la collection*
Virginie Dumont

Rédaction
Serge Montagnat

*Conception
éditoriale*
Marie-Odile Fordacq

Édition
Ariane Léandri

Direction artistique
Bernard Girodroux

*Conception graphique
Maquette*
Maryvonne Marconville

Illustrations
Denise et Claude Millet

*Recherche
iconographique*
Claire Balladur

Le couple adulte

La rencontre

Cela peut être un coup de foudre : chacun des deux est alors « saisi » et se dit : « Je l'aime. » Mais c'est parfois moins rapide et l'homme et la femme ont besoin de se voir plusieurs fois avant de comprendre qu'ils vont former un couple. Dans la vie, on croise beaucoup de gens mais la « rencontre » n'est pas toujours là.

Un couple d'amoureux ...

... c'est une femme et un homme qui se rencontrent, sont attirés l'un par l'autre au point de ne plus pouvoir vivre séparés. Il y a entre eux un lien très fort, différent de celui qui unit les parents et les enfants, parce qu'il s'agit de deux adultes.

Une histoire d'amour...

... c'est avoir envie
de tout partager avec
celui ou celle qu'on aime,
de tout lui raconter,
ses bonheurs,
ses malheurs,
ses interrogations.
C'est l'envie d'être le seul
ou la seule qui compte.
C'est avoir besoin
d'un contact physique :
embrasser, caresser,
faire l'amour. C'est
le désir de faire
un enfant ensemble.
Et c'est une très
grande tendresse.

Mariage ou concubinage ?

Le mariage civil est
un acte légal : un jeune
homme n'a pas le droit
de se marier avant l'âge
de 18 ans et une jeune
fille avant l'âge de 15 ans.
Le mariage civil peut
ou non être suivi
d'un mariage religieux.
Se marier est un choix.
On peut aussi vivre en
concubinage, c'est-à-dire
sans être marié.

Pourquoi certains parents se séparent-ils ?

Parfois, vivre ensemble
devient si difficile
qu'ils estiment que c'est
la meilleure solution. Ce
n'est jamais une décision
facile à prendre,
en particulier quand
le couple a des enfants
qui ne les comprennent
pas et en souffrent.
S'ils étaient mariés, alors
ils divorcent. Le divorce
est aussi un acte légal,
prononcé par un juge.
Il tente de trouver avec
les parents la meilleure
solution pour les uns
et les autres.

Couple parental

Un couple qui a eu
des enfants ensemble
peut se séparer ;
le père et la mère
deviennent alors
un couple de parents.
Il n'y a plus entre eux
d'histoire d'amour
mais un lien
indestructible
de parents qui ont
à élever leurs enfants.

Homosexuel, c'est quoi ?

Le plus souvent,
une histoire d'amour
naît entre un homme
et une femme.
Mais il arrive que cela
concerne un homme
et un homme ou
une femme et une
femme. C'est toujours
de l'amour ; mais
le couple ainsi formé,
dit homosexuel,
ne pourra pas avoir
d'enfants, parce que
la nature est faite
autrement.

... La sexualité

Les organes génitaux de la femme

l'utérus

le vagin

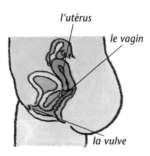

la vulve

Les organes génitaux de l'homme

le pénis

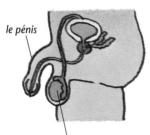

deux testicules contiennent les spermatozoïdes

🔴 La sexualité, une affaire privée

Les couvertures de magazines, les scènes de films où l'on voit un homme et une femme se caresser ne renseignent pas sur la sexualité. En effet, la sexualité c'est précisément ce qu'on ne montre pas aux autres, non pas parce qu'on en a honte, mais parce que c'est intime : un adulte ne raconte pas sa propre vie sexuelle. Mais cela ne doit pas l'empêcher de répondre aux questions sur la sexualité.

🔴 La naissance du désir

À l'adolescence, les filles et les garçons ressentent dans leur corps le désir, comme un irrésistible mouvement vers celui ou celle qu'ils aiment. Avant cet âge, il est difficile de comprendre ce que cela veut dire, parce que le corps n'est pas prêt. Mais cela n'empêche pas d'être curieux…

Que font les adultes quand ils font l'amour ?

L'homme et la femme échangent des caresses, des baisers, ils parlent, ce sont des instants de bonheur. Ils veulent être si proches l'un de l'autre que leurs corps, leurs sexes se mêlent. Le pénis de l'homme durcit, il est en érection. Il peut alors pénétrer dans le vagin humide de la femme. Cela ne fait pas mal, c'est agréable et doux. Ils ressentent un très grand plaisir.

Faire l'amour peut durer quelques minutes ou plus longtemps. Et quand un homme et une femme s'aiment, ils ont souvent envie de faire l'amour.

Et le pénis, il reste dur ?

Au moment le plus intense, un peu de liquide, le sperme, s'écoule du pénis dans le vagin : c'est l'éjaculation. Ensuite, le sexe de l'homme reprend son aspect habituel.

De drôles de mots

À l'école, entre copains et copines, on parle de « zizi » ou de « zézette », pour désigner le sexe masculin ou féminin. Entre amis, les adultes font souvent des plaisanteries grossières sur la sexualité, avec de drôles de mots. C'est clair : on ne parle pas de sexualité comme on parle du beau temps. C'est un sujet délicat, qui concerne tout le monde et en même temps, un mystère que chacun découvre à sa façon et partage avec son amoureux(se).

La sexualité, c'est le corps qui dit « je t'aime ».

Le désir d'enfant

Amandine

En 1982, pour la première fois en France, est né un « bébé-éprouvette » : la rencontre entre l'ovule et le spermatozoïde a eu lieu dans un tube à essai. L'embryon a ensuite été replacé dans le corps de la maman. Cela s'appelle une fécondation artificielle. Le premier bébé-éprouvette, Louise Brown, a vu le jour en Angleterre, en 1978. En France, environ 4 000 enfants naissent ainsi chaque année.

Faire l'amour et faire un bébé, c'est pareil ?

Non, mais il y a un lien. D'ailleurs jusqu'à 7-8 ans, on ne se demande pas comment on fait l'amour, mais comment on fait les bébés parce que cela va souvent ensemble : un homme et une femme qui s'aiment ont généralement envie de faire un enfant.

Vous avez 3 enfants ; vous avez fait l'amour 3 fois ?

Non, pas exactement. Pour faire un bébé, il faut que, au cours d'un rapport sexuel, un spermatozoïde (venant de l'homme) rencontre un ovule dans le ventre de la femme. C'est la fécondation. Elle ne peut se produire que quatre à six jours par mois. Les autres jours, ce n'est pas possible.

Tout le monde peut-il avoir un enfant ?

En principe, oui.
Mais parfois, le désir
d'enfant ne se réalise pas.
On ne sait pas toujours
pourquoi, ni comment
y remédier. Alors,
si ce désir est vraiment
très fort, il y a
deux possibilités :
la fécondation artificielle
(lire « Amandine »
page 8) ou
l'adoption.

Quand on ne veut pas de bébé...

...il faut utiliser des
moyens de contraception.
Les plus utilisés sont
la pilule, qui bloque
la fabrication des ovules,
le stérilet placé dans
l'utérus, qui empêche
l'œuf de se fixer
et le préservatif,
qui empêche
les spermatozoïdes
de pénétrer dans le vagin
(le rôle des ovules et
des spermatozoïdes
est expliqué page 12-13).

L'adoption

Quand un couple
n'arrive pas à avoir
d'enfant naturellement,
il lui est possible
d'en adopter un, dont
les parents ne peuvent
pas s'occuper. L'enfant
porte alors le nom
de la famille adoptive
dans laquelle il est élevé.
Ce n'est pas une situation
simple, mais c'est
toujours un acte
d'amour.

••• *Le sida*

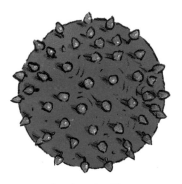

Le virus du sida

● C'est quoi le sida ?

Le sida est une maladie.
Il est provoqué par
un virus qui détruit
le système d'autodéfense
du corps : quand
une personne est atteinte
du sida, elle ne résiste
plus aux infections.
La personne infectée
est dite séropositive.
Le sida peut entraîner
des maladies mortelles,
mais elles mettent parfois
plusieurs années avant
de se déclarer.

● Comment l'attrape-t-on ?

Le sida se transmet
uniquement par le sperme
et le sang. Un homme ou
une femme atteint du sida
peut le transmettre
à l'autre au cours
d'un rapport sexuel.
Les drogués peuvent
l'attraper en utilisant
des seringues déjà
utilisées. Un fœtus peut
être contaminé par
sa mère au cours
de la grossesse,
à travers le placenta.

● À quoi sert un préservatif ?

Aujourd'hui, l'unique
façon de se protéger
du sida est d'utiliser
un préservatif quand
on fait l'amour. C'est la
seule protection efficace.

Le sida et le cancer, c'est pareil ?

Non, ce sont deux maladies graves distinctes. Mais comme l'organisme d'une personne atteinte du sida ne se défend plus, il peut développer certains cancers, en particulier de la peau. De plus, le cancer n'est absolument pas contagieux, contrairement au sida.

Est-ce qu'il y a un vaccin ?

Non, pas encore mais on cherche. Il existe actuellement des traitements associant plusieurs médicaments, mais ils n'aboutissent pas à la guérison.

Commencer son existence

Ovule

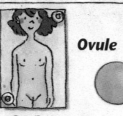

Où ? dans les ovaires.

Taille ? 0,15 mm de diamètre.

À partir de quel âge ? dès l'embryon jusque vers 45-55 ans.

Combien ? l'ovaire libère un ovule par mois environ : c'est l'ovulation.

Première ovulation : vers 12-13 ans (à la puberté).

Signe particulier : il est 100 fois plus gros qu'un spermatozoïde mais reste quand même microscopique.

Comment débute la vie ?

Tout commence le jour de la fécondation, quand le spermatozoïde pénètre dans l'ovule pour former un œuf... Il va se diviser peu à peu en plusieurs cellules, qui se transformeront pour donner l'être humain. Pendant l'acte sexuel, 300 à 400 millions de spermatozoïdes s'aventurent dans le sexe de la femme. Ils doivent franchir le col de l'utérus, chemin étroit où la plupart meurent. Les 3 ou 4 millions parvenus à l'entrée de l'utérus continuent leur course, vers l'ovule. Sur les quelques milliers qui le rejoignent, seul le hasard décide du spermatozoïde qui y entrera.

Spermatozoïde

Où ? dans les testicules.

Taille ? 0,06 mm de long.

Combien ? 150 millions fabriqués chaque jour.

À partir de quel âge ? de la puberté à la mort.

Signe particulier : il possède une queue appelée flagelle, qui lui permet de se déplacer rapidement.

● Peut-on connaître précisément le jour de sa conception ?

En théorie, oui, à deux jours près, on peut savoir à quelle date a eu lieu cette fameuse rencontre entre l'ovule et le spermatozoïde.

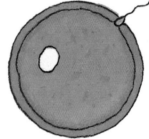

Le spermatozoïde pénètre dans l'ovule pour former un œuf.

les trompes

l'ovule

l'ovaire

le spermatozoïde

Le spermatozoïde et l'ovule se rencontrent dans une trompe.

La cigogne et le nouveau-né

On associe à la cigogne beaucoup de traits merveilleux, et notamment le fait d'apporter bonheur, fidélité et prospérité à la maison sur laquelle elle fait son nid. La légende de la cigogne blanche est sans doute originaire de Basse-Allemagne. Dans d'autres régions du pays (où ne nichent pas les cigognes), on disait que les enfants naissaient dans les arbres, les puits, ou bien que la sage-femme les apportait dans une boîte.

De l'œuf à l'embryon

L'œuf se divise en deux, en quatre, en huit...

Et l'œuf devient embryon

Dès que l'œuf commence à se diviser et à grossir dans la trompe, soit moins d'un jour après sa création, il est appelé embryon. Au quatrième jour, il ne ressemble pas du tout au futur bébé, mais plutôt à une mûre !

L'embryon fait son nid

Une semaine après la fécondation, l'embryon s'installe dans l'utérus de la mère. Les échanges entre eux commencent. Ils sont indispensables au bon développement de l'embryon.

L'avortement

C'est une interruption volontaire de la grossesse, qui a lieu durant les premières semaines de la conception.

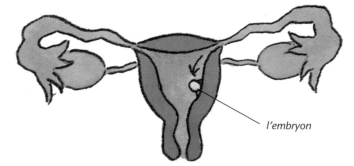

l'embryon

L'embryon s'installe dans l'utérus.

• 14 •

Qu'est-ce qu'une fausse couche ?

Certains œufs
ne se développent pas
longtemps, soit parce
qu'ils ne trouvent pas
la bonne place pour faire
leur nid, soit parce qu'ils
sont incomplets ou mal
formés. Il se produit alors
une fausse couche : l'œuf
est évacué naturellement
du corps de la mère.
Dans la plupart des cas,
la grossesse suivante
se déroule
sans problèmes.

Qu'est-ce qu'une échographie ?

C'est une méthode
d'observation du fœtus,
utilisant des ultrasons.
Sur un écran de télévision,
les images recueillies
et analysées
par des spécialistes
permettent de contrôler
le bon déroulement
de la grossesse et
le développement
du fœtus. De plus,
elle permet de détecter
la présence de jumeaux
et de connaître le sexe
de l'enfant à naître,
si les parents
le souhaitent.

Une grossesse dure combien de temps ?

*Environ 39 semaines,
soit 9 mois.
C'est le temps nécessaire
pour passer de la taille
d'un grain de blé
au plus beau bébé
du monde.*

*L'échographie :
sur l'écran,
on distingue
un fœtus âgé
de sept mois.*

La vie pendant 9 mois

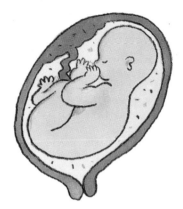

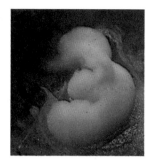

4 semaines
taille : 4 mm
L'embryon
mesure environ
6 mm de long.
Les yeux,
les jambes,
les bras,
commencent
tout juste
à se former.

La poche amniotique :
c'est une bulle à parois très fines,
remplie de liquide dans lequel
baigne le fœtus.
Ce liquide le protège des chocs.

Le placenta :
il permet
les échanges
entre le corps
de la mère
et le corps
de l'enfant ;
en forme
de « galette »,
le placenta
est expulsé
lors de
l'accouchement,
juste après
la naissance
du bébé.

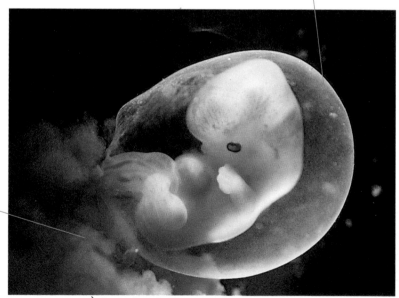

À 6 semaines, la tête est aussi grosse que le corps.

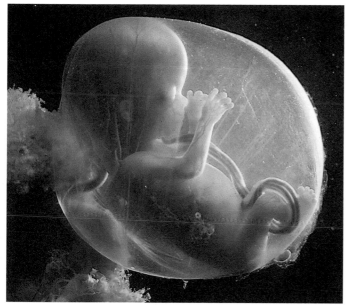

3 mois

3 mois
*taille : 8 cm
Le squelette
grandit.
Mains et pieds
ont une forme
définitive.
Tous les organes
se mettent
en place.
Les paupières
fermées
ne s'ouvriront
qu'au sixième
mois.*

5 mois
*taille : 26 cm
Des petits
cheveux poussent
sur le crâne,
la peau se couvre
d'un enduit gras.
Tous les organes
sont formés.*

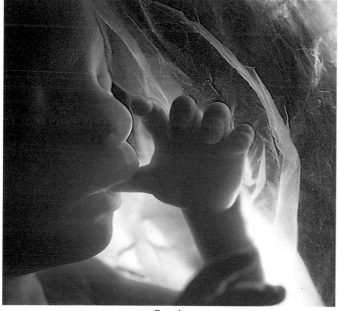

7 mois

7 mois :
*taille : 40 cm
Le fœtus
a le réflexe
de sucer
son pouce
lorsqu'il effleure
ses lèvres.
Ses yeux sont
toujours fermés,
mais il perçoit
la lumière
extérieure.*

9 mois
*taille : 50 cm
La peau
est devenue
rose et lisse.
Le fœtus
s'est retourné,
tête en bas,
il est prêt
à naître.*

Dans le ventre de sa mère

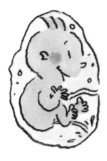

Comment le bébé fait-il pipi ?

Le fœtus fait pipi dans le liquide qui l'entoure. Il boit aussi ce liquide, constamment renouvelé grâce au placenta.

Est-ce qu'il entend ?

À partir du 5ᵉ mois, le fœtus réagit à certains sons : il bouge, paraît « se réveiller » quand on lui parle doucement, apprécier une musique en particulier ; mais si l'on est sûr qu'il entend, on ne sait pas très bien ce qu'il perçoit vraiment.

Que fait-il toute la journée ?

Le fœtus dort beaucoup, bouge de temps en temps, se retourne. En fait, son développement lui prend presque tout son temps.

A-t-il les yeux ouverts ?

À partir du 7ᵉ mois, il ouvre et ferme les yeux.

Comment mange-t-il ?

Il ne mange pas vraiment comme nous. Le fœtus est nourri par le placenta qui lui fournit tout ce dont il a besoin (protéines, lipides, glucides) grâce à un long tuyau souple : le cordon ombilical. À la naissance, on coupe ce cordon et cela forme le nombril.

Peut-il attraper une maladie ?

Non, car il est protégé par le corps de sa maman. Mais si elle-même est atteinte d'une maladie contagieuse, cela peut être dangereux pour le fœtus ; c'est pourquoi ils sont tous les deux surveillés.

Comment respire-t-il ?

L'embryon ne respire pas comme nous, avec son nez, sa bouche et ses poumons : il ne trouve pas l'oxygène dans l'air mais dans le sang, toujours grâce au placenta. Il peut aussi avoir le hoquet ! Mais dès l'instant qui suit la naissance, il avale de l'air en poussant un grand cri et... il respire alors de la même façon que toi.

Le bébé sent-il quand sa mère touche son ventre ?

Oui, le bébé est sensible à tout ce qui se passe autour de lui. Par des caresses, la maman peut déjà communiquer avec lui. Ainsi le bébé se sent bien et protégé.

Le mystère des jumeaux

Il y a dans le monde 75 millions de jumeaux, dont un peu plus d'un million en France. Les faux jumeaux sont deux fois plus nombreux que les vrais et il y a autant de jumeaux filles que de jumeaux garçons.

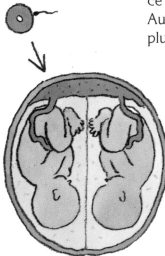

Les vrais jumeaux partagent le même placenta.

🔵 Pourquoi y a-t-il des jumeaux ?

Généralement, un seul embryon se développe durant la grossesse. Mais il arrive qu'il y en ait plusieurs : deux et ce sont des jumeaux, trois et ce sont des triplés. Au-delà, c'est beaucoup plus rare.

🔵 Pourquoi certains ne se ressemblent-ils pas ?

Parce qu'ils proviennent de deux ovules différents qui ont été fécondés en même temps : on les appelle des faux jumeaux. Mais en réalité, ce sont des frères et sœurs nés le même jour. Les vrais jumeaux sont exactement identiques, car ils viennent d'un seul œuf qui s'est divisé tout de suite en deux embryons, pour des raisons que nous ignorons.

Les faux jumeaux ont chacun leur placenta.

Les vrais jumeaux ont-ils le même caractère ?

Comme ils ont
pour origine le même
spermatozoïde et le même
ovule, on peut penser
qu'ils sont exactement
identiques, aussi bien
physiquement que
moralement.
Mais le caractère
et la personnalité
sont aussi influencés par
des expériences de la vie,
des relations que l'on tisse
avec les autres.
Aussi, les vrais jumeaux
se comportent-ils souvent
de façon un peu différente :
l'un sera plutôt gai,
l'autre plus silencieux, etc.

Les jumeaux ont-ils assez de place dans le ventre ?

Une femme enceinte
de jumeaux est bien sûr
plus imposante mais
son ventre n'est pas
deux fois plus gros !
À la naissance, les bébés
pèsent un peu moins lourd
mais ils sont souvent
en parfaite santé et aussi
robustes que les autres.

Histoires de jumeaux

*On raconte que
des sœurs jumelles,
éloignées de centaines
de kilomètres, ont
ressenti les mêmes
douleurs au même
moment, et que
des frères jumeaux
ont fait le même
rêve... De quoi rester
perplexe.*

... Le sexe du bébé

« *L*e choix du roi »

*C'est avoir une fille
et un garçon.*

Les parents peuvent-ils choisir le sexe de leur bébé ?

Non, au moment
de la conception, on ne
peut pas choisir. Le sexe
du bébé, masculin ou
féminin, est déterminé
lors de la fécondation
en dehors de notre désir
ou de notre volonté.

Peut-on connaître le sexe avant la naissance ?

Oui, grâce
à une échographie
pratiquée au 5ᵉ mois
de la grossesse.
Mais on est libre
de vouloir dévoiler
ou non le mystère et
certains parents préfèrent
attendre l'accouchement
pour connaître le sexe
de leur bébé.

Les jumeaux sont-ils toujours du même sexe ?

Oui, s'il s'agit de vrais
jumeaux. Les faux
jumeaux, en revanche,
peuvent être de sexes
différents.

🔵 Pourquoi fille ou garçon ?

L'ovule et
le spermatozoïde
contiennent
des chromosomes, qui
ressemblent à des petits
bâtons. Certains ont
la forme d'un X, d'autres
celle d'un Y. L'homme a
des chromosomes X ou Y
et la femme seulement
des chromosomes X.
Si le spermatozoïde qui
rencontre l'ovule est X,
ce sera une fille. S'il est Y,
ce sera un garçon.

🔵 Une potion magique

Manger des yaourts
et du fromage ou bien
des fruits et des légumes
fait partie des recettes
« magiques » qui
permettraient d'influencer
la nature : les uns
favoriseraient
la naissance d'une fille,
les autres assureraient
celle d'un garçon…
En matière de conception,
les croyances suivent la
mode mais ne parviennent
pas à contrôler le mystère
de la vie.

*Mais la magie
n'a pas dit
son dernier mot…*

*« C'est une fille,
tu as le ventre rond. »
« Non c'est
un garçon, tu
le portes en avant. »
Une alliance
se balançant au bout
d'un cheveu est
censée prédire le sexe
du bébé : de gauche
à droite, c'est une
fille, de bas en haut,
c'est un garçon ;
ou inversement.
On appelle cela
des « recettes
de bonne femme ».
Elles sont pleines
de poésie et de rêve.*

Contes et légendes

Quand les enfants naissaient dans les choux

Au siècle dernier, on ne parlait pas de sexualité. Mais cela n'empêchait pas les enfants de se demander comment naissent les bébés. Lorsqu'ils posaient la question : « Où étais-je avant de naître ? », les adultes répondaient : « C'était le temps où tu étais dans les choux. » En Belgique, à Stavelot, les enfants se « trouvaient » sous les choux du curé. En France, des enseignes de sages-femmes représentaient, il n'y a pas si longtemps encore, une dame recueillant un enfant au milieu des choux.

Pourquoi les choux ?

Par sa forme pommée, le chou a un cœur difficile à déceler. On peut donc facilement faire croire qu'un bébé y est caché ! Pour ces mêmes raisons, la rose a, plus tard, été « attribuée » aux bébés filles. La fleur et sa couleur sont devenues le symbole féminin.

Rose pour les filles, bleu pour les garçons

C'est peut-être des roses qu'est née la tradition des couleurs : un bébé fille est souvent habillé en rose, un bébé garçon plutôt en bleu. C'est qu'il est bien difficile à la naissance de faire la différence entre les deux sexes quand les bébés sont habillés.

Des sources extraordinaires

L'eau est souvent associée au mystère de la naissance. Beaucoup de légendes existent autour de fontaines ou de sources miraculeuses. Ainsi peut-on poser à la surface de l'eau deux chemises, une de fille, une de garçon ; celle qui flotte le plus longtemps indique si la petite créature à naître portera « culotte ou jupon ».

Accoucher

Comment la maman sait-elle que le moment est arrivé ?

Le gynécologue donne toujours une date pour l'accouchement. Mais il peut avoir lieu quelques jours avant, ou quelques jours après... La maman ressent des changements dans son corps. Les contractions et l'écoulement du liquide amniotique sont les signes annonciateurs de l'accouchement. Elle-même et le bébé sont prêts. Alors arrive le grand moment.

Pourquoi la maman accouche-t-elle à l'hôpital ?

Un accouchement n'est pas une maladie. La maternité est donc un lieu à part dans un hôpital ou dans une clinique. Un personnel médical intervient s'il ne se déclenche pas normalement. Avant, les accouchements se déroulaient à la maison, mais c'était moins sûr. Et puis, à la maternité, on s'occupe de la maman et du bébé pendant les trois ou quatre jours qui suivent la naissance et cela rassure tout le monde.

Comment se passe un accouchement ?

Il se déroule en trois étapes. La préparation : les contractions de l'utérus préparent le chemin. L'expulsion : le bébé sort par le vagin, tête la première ! La délivrance : le placenta, devenu inutile, est à son tour expulsé. Cela peut durer 4 heures, 12 heures, une journée, mais pas plus.

Moi je suis née par forceps ; ça veut dire quoi ?

Quand c'est nécessaire, on utilise les forceps (qui ressemblent à une pince) pour aider un bébé à venir au monde.

Un accouchement c'est dégoûtant, il y a du sang

Le sang est signe de vie. C'est donc normal qu'il y en ait à l'accouchement, d'autant que les échanges entre la mère et le bébé se font au moyen des vaisseaux sanguins, par le placenta. Ce n'est ni sale, ni dégoûtant, mais on peut trouver cela désagréable. La vue du sang est toujours un peu difficile à supporter, car cela peut faire peur et penser à la douleur.

Qu'est-ce qu'une césarienne ?

Un chirurgien ouvre délicatement le ventre de la maman pour en sortir le bébé quand l'accouchement par les voies naturelles est impossible ou lorsqu'il y a danger pour l'un et l'autre.

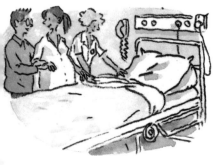

● ● ● *Naître*

La péridurale

*C'est le seul
moyen d'accoucher
sans douleur.
Cela consiste
à injecter un liquide
anesthésique,
qui rend le bassin
insensible.
La maman reste
parfaitement éveillée.*

● Un accouchement, c'est douloureux ?

Oui, parce que cela
nécessite que l'utérus
de la maman « travaille »
pour s'élargir et faire ainsi
une route pour le bébé.
C'est un muscle qui
se contracte de façon
rapide et forte, alors
cela fait mal. Mais il existe
des moyens, en particulier
la péridurale, pour
diminuer la douleur, et
favoriser la relaxation
de la maman.

● Et le bébé, il a mal ?

On ne sait pas.
Pour les uns, le cri qu'il
pousse à la naissance
est signe de douleur ;
pour les autres,
il n'est que l'expression
du début de la respiration.
La naissance est,
de toute façon, une étape
obligatoire, par laquelle
nous sommes
tous passés…

🔵 Je peux être là pendant l'accouchement ?

La naissance d'un bébé concerne avant tout le papa et la maman. Un accouchement reste l'aventure prodigieuse d'un couple, même si cela représente une famille qui s'agrandit. Comme la sexualité, dont c'est l'une des conséquences, l'accouchement a quelque chose d'intime.

🔵 Après la naissance

On lave le nouveau-né, on le pèse et on l'habille. Il rejoint ensuite tranquillement les bras de sa maman.

🔵 Qu'est-ce qu'un prématuré ?

Un enfant prématuré est un bébé qui naît plusieurs semaines avant la date prévue. Donc, il n'a pas eu tout le temps nécessaire pour se développer et il doit poursuivre sa croissance en dehors du corps de sa maman. On le met alors souvent en couveuse et tout se passe bien par la suite, dans la plupart des cas.

*U*n berceau qui a une histoire

Il y a plusieurs siècles de cela, une maman voulut sauver son bébé du massacre entrepris par les Égyptiens : il s'appelait Moïse. Elle le mit dans un berceau, sur un fleuve (le Nil), et il fut emporté par le courant et sauvé. Aujourd'hui, un moïse est un berceau de nouveau-né.

Un être unique

Qu'est-ce que c'est les gènes ?

C'est un ensemble d'éléments microscopiques. Ils déterminent les informations qui nous rendent uniques (couleur des yeux, taille, grandeur des pieds...).

Planter un arbre

La naissance d'un nouvel être symbolise la perpétuation de la vie et le renouvellement. Aussi, une coutume ancienne consiste à planter des arbres – surtout des chênes, symboles de longévité, de résistance – à chaque nouvelle naissance.

Ma sœur et moi, on ne se ressemble pas

Un œuf porte pour moitié les gènes de son père et pour autre moitié ceux de sa mère. La répartition des gènes se fait au hasard. On a donc une chance sur 70 000 milliards d'être identique à un autre, en ayant les mêmes parents. Autant dire que chaque être humain est unique, différent des autres. C'est pourquoi certains frères et sœurs se ressemblent beaucoup, d'autres pas du tout.

Sauter une génération

« C'est le portrait de sa grand-mère » disent tes parents à ton sujet. On peut en effet ressembler à un grand-parent, à une tante, plus qu'à ses parents. Parce que chacun d'entre nous a en stock l'histoire familiale : les cheveux roux de grand-papa, le grain de beauté de tante Lucile... Le hasard de la fécondation révèle ainsi parfois des caractéristiques disparues.

L'arbre généalogique

Tu as été conçu(e) par
un homme et une femme,
qui ont eux-mêmes
été conçus par
un homme et une femme
et ainsi de suite...
On peut remonter très loin
dans l'histoire et
découvrir des « ancêtres »
inattendus : un Gaulois,
un Romain, ou peut-être
même un Viking !

Ma meilleure amie me ressemble

Il arrive parfois
de rencontrer des gens
dont l'aspect physique
est proche du sien :
ce sont les surprises
de la génétique...
L'effet de miroir
est alors tel
qu'on se lie volontiers
à cette personne.

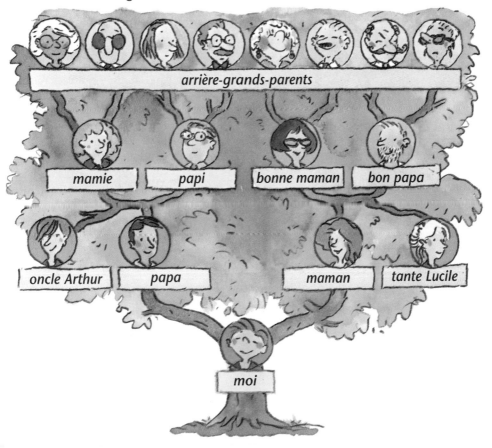

arrière-grands-parents

mamie   papi   bonne maman   bon papa

oncle Arthur   papa   maman   tante Lucile

moi

Être bébé

Un bébé, c'est grand comment ?

En France, en moyenne, un nouveau-né mesure 50 cm et pèse 3,3 kg. Mais il y a des variations : tout le monde au même âge ne fait pas le même poids, ni la même taille.

Le choix du prénom

On porte son prénom pour la vie entière... et il n'est jamais choisi au hasard. La famille y pense plusieurs mois avant la naissance, le papa et la maman essaient de se mettre d'accord ; chacun y va de son commentaire. Parfois, c'est en « voyant » le bébé qu'on décide qu'il se prénommera Louise, Octave, Benjamin ou Aurélie...

Un bébé, cela ne sait rien faire !

Le bébé sait faire
beaucoup de choses
que nous avons oubliées :
téter, serrer très fort
ses doigts autour
du pouce qu'on lui tend.
Ce sont des réflexes.
Avant de savoir marcher
ou être un compagnon
de jeu, il a encore
beaucoup de choses
à apprendre,
en regardant faire
les autres, tout
en grandissant
et en s'exprimant avec
ses moyens : il pleure,
il sourit, il rit, il gazouille.

Du lait pour grandir

Le bébé se nourrit de lait.
On parle d'allaitement
naturel si sa maman
lui donne le sein,
d'allaitement artificiel
si on lui donne le biberon.
C'est une question
de choix personnel.
Il ne commencera
à manger des aliments
solides que vers un an,
quand il aura
ses premières
dents (que
l'on nomme
dents de lait).

Il a une grosse tête

Chez un nouveau-né,
la tête occupe
environ le tiers
du corps.
Peu à peu,
les proportions
vont changer
pour se stabiliser
à l'âge adulte
(*adultus* signifie,
en latin : qui a fini
de grandir).

••• Mon petit frère, ma petite sœur

● J'ai envie de m'occuper de bébé

Mais on te dit tout
le temps qu'un bébé,
c'est fragile : c'est vrai
qu'un nouveau-né ne
peut pas soutenir
seul sa tête,
ni tenir assis
et il faut donc faire
attention. Mais avec
quelques précautions
et sous l'œil attentif
de papa ou de maman,
tu peux lui donner
un biberon, le prendre
dans tes bras et
lui manifester ainsi
ton affection.

● Mais il n'y en a que pour lui !

Un bébé occupe
beaucoup de place,
malgré sa petite taille :
on en parle, on lui fait
des cadeaux et souvent,
les autres enfants
ont le sentiment qu'on
ne s'intéresse plus à eux.
Alors ils en veulent
à ce nouveau bébé tout
en l'aimant beaucoup.
Et puis peu à peu,
chacun prend sa nouvelle
place dans la famille,
ce qui n'empêche pas
la jalousie, normale
entre frères et sœurs.

 Et en plus un bébé, ce n'est pas beau !

C'est vrai : quand
tu le vois juste après
la naissance, sa peau
est plus ou moins plissée.
Son crâne peut être
chauve ou déjà recouvert
d'un duvet sombre.
Il n'a pas de dents et
fait d'étranges grimaces.
Mais c'est quand même
pour sa famille le plus
beau bébé du monde
et il va rapidement
s'arrondir pour devenir
un attendrissant poupon.

Est-ce qu'il me reconnaît ?

Très vite, les bébés
repèrent la présence
des enfants, dont
ils se sentent sans doute
proches. Le lien
d'attachement entre frères
et sœurs se construit
dès les premiers jours et,
au bout de quelques mois,
il les voit avec
jubilation
s'avancer
vers lui, il sourit
en les entendant.

Quelle logique !

- Viens, mon chéri,
on va changer
ta petite sœur.
- Pourquoi,
elle est déjà usée ?

••• *Grandir*

Une autre façon
de compter

*En Asie, on compte
l'âge d'un bébé
dès sa conception.
À la naissance,
il a donc déjà 1 an !*

● *Avant d'avoir un an, j'avais quel âge ?*

L'âge se compte à partir
du jour de la naissance.
Donc avant d'avoir un an,
on commence par avoir
un jour, puis une semaine,
un mois, six mois,
pour enfin souffler
sa première bougie
365 jours après
sa naissance.
Et ainsi de suite…

● *À partir de quand un bébé n'est plus un bébé ?*

C'est souvent quand
apparaît la marche
que le bébé devient
naturellement un petit
enfant, capable
de se déplacer. Après
la marche se développe
le langage : ce sont
les deux apprentissages
essentiels de la petite
enfance. Parce qu'on
se débrouille un peu
mieux tout seul si
on peut s'exprimer
et aller là où l'on a
envie d'aller.

J'ai envie de grandir mais aussi de rester bébé

Grandir est une aventure excitante pleine de promesses. Les parents disent si souvent :
« Tu comprendras quand tu seras plus grand. »
« Tu pourras faire ceci ou cela plus tard. » Mais c'est aussi aller vers un monde inconnu qui peut faire peur. Alors on a envie de redevenir tout petit... Mais c'est impossible, on ne peut rien contre le temps qui passe !

On grandit et on grossit à quelle vitesse ?

Pendant la première année, on grandit de 20 cm et on multiplie son poids par 3. À 4 ans, on mesure environ un mètre : c'est le double de la taille à la naissance. Puis, on prend 4 mm par mois jusqu'à l'adolescence où les vêtements deviennent vite trop petits, sans parler des chaussures : les pieds, les jambes, les bras s'allongent, le corps change et se transforme. Quant aux variations de poids, c'est plus compliqué : cela dépend des familles (il y a des familles de minces, de ronds...) et des habitudes alimentaires.

La puberté

● C'est
la première étape
de l'adolescence

Elle se manifeste par des
changements du corps,
sans rapport avec les
modifications des années
précédentes. À la puberté,
on continue à grandir
et à grossir mais en même
temps, « on change
de forme » : les filles
commencent à avoir
de la poitrine, sont réglées
et les garçons voient
leur barbe pousser.

● *Ça arrive à quel*
moment ?

La puberté ne peut pas
arriver avant l'âge
de 10 ans, au plus tôt.
Marquant la rupture
avec l'enfance et le début
de l'adolescence,
elle est le premier signe
des changements du corps
permettant la reproduction
des individus. Peu à peu,
filles et garçons
deviendront des hommes
et des femmes capables
de procréer, c'est-à-dire
de faire des enfants.
Mais avant d'en arriver là,
il y a de nombreuses
étapes.

Ça fait mal la puberté ?

Les changements
du corps liés à la puberté
ne sont pas douloureux
mais un peu inquiétants,
pour les filles comme
pour les garçons :
ils concernent le poids,
la taille, les poils
qui poussent
et le développement
des organes sexuels qui
vont fonctionner ensuite.
Grandir de 12 cm par an,
avoir besoin de manger
plus que les adultes, voir
apparaître des différences
physiques entre filles
et garçons entraîne
un malaise momentané
et normal.

C'est important de se laver tous les jours !

Oui, c'est important
de se préoccuper
de son hygiène,
d'apporter du soin
à cette extraordinaire
construction qu'est le
corps humain : se brosser
les dents, se laver
les cheveux, savonner
sa peau témoignent
du respect que l'on se doit
et sans lequel les autres
ne vous respectent pas
en retour.

Et après la puberté, que se passe-t-il ?

Encore des changements
dans la tête et le cœur.
Une fois le corps
transformé, il peut
se passer du temps avant
de ressentir les premiers
élans amoureux. Ils sont
le début de la longue
histoire d'amour entre
les hommes et les
femmes, éternellement
reproduite grâce aux
enfants qui grandissent
et deviennent à leur tour
des adultes.

Découvrir son corps

Se caresser tout seul fait
partie de l'apprentissage
de la sexualité. Cela
procure du plaisir
et permet
de mieux
connaître
son corps.

Du côté des filles

À l'école, on n'a pas les mêmes jeux que les garçons

Si à l'école maternelle, filles et garçons jouent volontiers ensemble, à l'école primaire, il existe une démarcation très nette : les filles d'un côté, les garçons de l'autre. Ce qui n'empêche pas d'être content de se voir…

Les garçons, on les trouve un peu bébés

On a l'habitude de dire que les filles sont mûres plus tôt que les garçons. Et ce n'est pas faux ; la puberté des filles précède souvent celle de leurs copains : par exemple, la croissance s'accélère entre 10 et 15 ans pour les unes et entre 11 et 18 ans pour les autres !

● Et au collège, ce sera comment ?

À partir de la sixième, certaines filles ressemblent déjà à des femmes : elles ont de la poitrine, portent des talons hauts, alors que d'autres ont encore un corps d'enfant. Les plus mûres cherchent à la fois la compagnie des plus âgés et des enfants de leur âge, parce qu'à 11-12 ans, on est plus proche de l'enfant que de l'adulte. Il n'est pas rare de voir réunies dans une même classe des petites filles et des presque femmes.

● Les règles, c'est quoi ?

Mis à part la naissance de la poitrine, la puberté féminine se caractérise par l'apparition des règles. Toutes les 4 semaines environ, la jeune fille (et la femme) perd(ent) du sang ; ce n'est pas grave, cela ne fait pas mal et signifie seulement que le corps est prêt à concevoir un bébé. Quand une femme est enceinte, les saignements s'arrêtent pendant la durée de la grossesse et reprennent après l'accouchement.

Pendant leurs règles, la jeune fille et la femme mettent des tampons ou des serviettes hygiéniques. Ces protections absorbent le sang qui s'écoule (en faible quantité) du vagin.

● Cela signifie qu'on peut avoir des relations sexuelles ?

Non, cela signifie tout simplement que le corps a atteint sa maturité pour se reproduire. Avoir des relations sexuelles nécessite d'être plus mûr(e) affectivement, ce qui généralement n'a pas lieu avant 15-16 ans.

Du côté des garçons

Quand commencerai-je à avoir de la barbe ?

Là encore, cela se fait progressivement et entre le duvet naissant et les poils drus qu'il faut raser le matin, il s'écoule plusieurs années.
De la même façon, la pilosité des jambes, des bras, du torse, du sexe se développe petit à petit.

Mon grand frère a la voix qui « mue », c'est bizarre

L'un des effets de la puberté masculine est en effet la voix qui change : elle devient plus grave. Mais cela ne se fait pas d'un seul coup et pendant plusieurs mois, le garçon passe de l'aigu au grave avant que sa voix ne se stabilise.

C'est inévitable d'avoir des boutons ?

Non. Mais les garçons ont souvent plus de boutons d'acné que les filles, c'est une histoire d'hormones sexuelles.

● Mon sexe est dur le matin. C'est normal ?

Oui, un garçon
a des érections depuis
son plus jeune âge.
À la puberté,
elles pourront être suivies
d'éjaculations.

● Quand on grandit, le pénis grandit-il aussi ?

Oui, les organes génitaux
se développent
à la puberté comme
le reste du corps.

● À quel âge commence-t-on à flirter ?

À l'école, on peut avoir
un(e) amoureux(se) mais
ce n'est pas vraiment
un flirt. Vers 10-11 ans,
cela devient plus sérieux,
mais c'est surtout vers
14 ans que les garçons
flirtent avec les filles,
échangeant baisers
et mots doux
lors des boums.

...Se protéger

À qui s'adresser ?

Fil Santé Jeunes
numéro vert :
08.00.23.52.36

Enfance et partage
10 rue des Bluets
75011 Paris
numéro vert :
08.00.05.12.34

**Antenne
de défense
des mineurs du
barreau de Paris**
*8, quai du Marché
neuf*
75004 Paris
01.40.51.77.67

**Centre français
de protection
de l'enfance**
20 bis, rue d'Alésia
75014 Paris
01.43.20.65.63

● *On parle souvent de pédophilie. Qu'est-ce que c'est ?*

La pédophilie est un comportement anormal où un adulte, le plus souvent un homme, cherche à avoir des relations sexuelles avec un enfant, fille ou garçon, qu'il contraint. C'est un acte criminel dont l'enfant est la victime.

● *C'est la même chose qu'un viol ?*

Non, pas tout à fait. Un viol peut concerner un adulte et un jeune mais aussi deux adultes, l'un contraignant l'autre à avoir un rapport sexuel. Dans la majeure partie des cas, le viol est le fait d'un homme qui oblige une jeune fille ou une femme à se soumettre à son désir. Mais le viol, comme la pédophilie, est un crime puni par la loi, à condition que la victime porte plainte.

Alors, il faut avoir peur de tout le monde ?

Non, mais il faut toujours prendre des précautions avant de suivre un adulte, qu'on le connaisse ou non : une façon simple de se protéger consiste à prévenir sa maman ou son papa de ce que l'on va faire. Par exemple, si quelqu'un te demande de l'accompagner, il faut toujours en avertir un proche, même si tu as confiance en la personne en question.

L'interdit de l'inceste

Les parents ne peuvent pas avoir de relations sexuelles avec leurs enfants ; c'est interdit et sévèrement puni par la loi. Mais cela arrive – certes rarement – et il est alors très difficile pour l'enfant d'en parler : il a le sentiment d'accuser quelqu'un qu'il aime, il a honte. Et pourtant, c'est la seule façon pour que cesse l'agression grave et lourde de conséquences pour l'enfant.

Pourquoi cela existe-t-il ?

Si l'amour et la sexualité sont avant tout source de bonheur et de plaisir pour la plus grande partie d'entre nous, ils sont la cause de tourments et de problèmes pour certains hommes ou certaines femmes. Ils ne sont heureusement pas nombreux. En général, ce sont des gens qui ont beaucoup souffert dans leur enfance, qui ont été maltraités alors qu'ils étaient petits et qui, une fois adultes, maltraitent les autres.

Un viol peut être suivi d'une grossesse : elle peut alors être interrompue par un avortement.

C'est quoi un exhibitionniste ?

C'est un homme qui aime montrer son sexe à des inconnus, et notamment à des enfants. Si tu en rencontres, à la sortie de l'école par exemple, il faut absolument prévenir tes parents, ton (ta) maître(sse).

Les sentiments

À partir de quel âge peut-on être amoureux ?

On rencontre souvent son premier amour à l'âge de l'école maternelle et on ne l'oublie jamais. À l'école primaire, on peut aussi avoir un(e) amoureux(se) et on en parle beaucoup à ses ami(e)s. C'est sérieux mais c'est aussi un jeu avec les autres, qui commentent ouvertement les petits bisous... Et cela ne regarde pas les adultes.

Et quand on est plus grand ?

À partir de 12-13 ans, le corps se transforme : c'est la puberté. La façon de penser comme la façon d'être amoureux évolue durant toute l'adolescence pour se rapprocher du modèle adulte. Le sentiment amoureux devient alors peu à peu ce qui compte le plus dans la vie.

L'amour, cela dure toute la vie ?

On a l'habitude de dire qu'amour rime avec toujours...
C'est parfois vrai.
Mais il arrive aussi que la tendresse, l'affection remplacent le sentiment amoureux au bout de quelques années.
Et il arrive aussi qu'un homme et une femme se séparent parce qu'il n'y a plus d'amour entre eux.
Ainsi, on peut être amoureux plusieurs fois dans sa vie et de façon toujours sincère.
Il n'y a pas de règle et cela ne se décide pas à l'avance.

Quand on n'est plus amoureux, on reste amis ?

L'amour et l'amitié sont deux sentiments humains très forts mais différents et les adultes passent difficilement de l'un à l'autre, à la différence des enfants. L'intimité du lien amoureux où la sexualité est présente, ce n'est pas la même chose que la complicité entre amis. Et une histoire d'amour qui se termine fait toujours un peu souffrir, alors il est difficile de rester amis.

Quand je vois des amoureux à la télévision, j'ai envie de regarder et en même temps, cela me gêne.

Vers 8-10 ans, on commence à ressentir un malaise devant les manifestations physiques de l'amour. C'est le début de la pudeur, à ne pas confondre avec la honte. Dans le même temps, on a besoin de protéger sa nudité, on évite celle des autres, des adultes en particulier. C'est normal et cela doit être respecté.

N° d'éditeur : 10090210 - (VI) - 39,5 - CSBTS 150 - Novembre 2001
Conforme à la loi n° 49956 du 16 juillet 1949 sur les publications destinées à la jeunesse.
Impression et reliure : Pollina s.a., 85400 Luçon - n° 84592
ISBN : 2.09.278255-X